JN411703

prologue

내 곁에 잠시라도 머물렀던 모든 사람들에게 이 책의 모든 문장들을 선물합니다. 누군가를 생각하며 한 문장 한 문장을 써내려 갈 때마다 알 수 없는 그리움과 알 수 없는 애틋함에 내 곁에 없는 사람들을 그리워하는 일이 잦아졌습니다. 이 감정들은 누군가를 생각하는 일에는 당연히 느껴지는 감정일 테니까 이해를 바랍니다. 저도 당신과 같은 보통의 사람이니까요. 우린 그냥 보통 사람과 보통의 연애 그리고 보통의 이별을 했을 뿐이니까요.

우리 모두 더 많이 사랑하고 더 많이 아프게 이별도 해봅시다. 그래야 정말 내 곁에 머물게 될 사람이 아프지 않을 수 있게 사랑하는 방법을 알 수 있을 테니까요.

I

너에게 난
어떤 계절로 남아 있을까

보고
싶어도

당신, 이제는 서로에게 보고 싶다고 말하는 게 얼마나 위험한 일인지 모르는 건 아니겠죠? 그동안 버텨왔던 모든 것들이 한순간에 무너져내려 돌이킬 수 없을 만큼 깊은 지옥으로 떨어지게 될 거라는 거, 모르는 거 아니죠? 당신이 지옥에서도 날 사랑할 수 있을 것 같아요? 사랑만으로 우리가 만든 지옥을 헤쳐나갈 수 있을 거라 착각하지 말아요. 우리가 만든 지옥은 우리가 아니면 갈 수도 없는 곳이니 그곳 걱정도 하지 말고요.

사랑하는 방법은

누군가를 사랑하는 방법을 잊을 수 있다면 차라리 나만 잊어 주면 안 될까요? 당신이 고작 나 하나 잊어보자고 누군가를 사랑하는 방법까지 잊겠다고 각오할 수 있다면 내가 너무 미안해지잖아요. 당신도 내가 고작 동정 따위로 당신을 위하는 것은 바라지 않잖아요. 사랑하는 방법까지 잊어가면서 나를 잊어보겠다뇨. 그건 나더러 미안해서 죽으라는 소리인가요.

떠나가지 못하는 남자

정이 뭐라고 우리가 이렇게까지 힘들어하면서 서로를 붙잡고 있어야 하는지 모르겠다. 네가 나를 놓을 수 없는 것처럼 나도 너를 놓을 수가 없어. 우리 둘 중 누구 하나가 악역이 되어야 끝이 난다면 난 그럴 수가 없을 거 같다. 네게 그런 모진 행동들을 해야 하는 게 너무 싫거든. 그렇다고 내가 더 잘하겠다며 하늘에 별을 수놓듯 멋진 문장들로 네게 설탕 발린 거짓말을 하고 싶지는 않아. 내 행복을 빈다면 내 행복이 누구였는지 생각해주길. '나 너랑 다시 예전처럼 행복할 수 있겠지.'라는 망상은 하지 않을게. 그래도 지켜야겠어. 정도 사랑이라면 내 사랑이 아직은 여기에 있는 거 같거든, 그러니까 나도 여기에 있어야겠어.

내일 당신이

내가 내일 당신 곁을 떠나게 된다면 앞으로 사랑을 하지 않을 거라 말도 안 되는 선언을 하게 될 것이고, 당신이 좋아하던 것들을 보며 눈물을 훔치는 일이 많아질 테고, 서로 아무렇지 않은 척하고 억지로 괜찮은 척하며 살아가느라 그대로 무뎌지게 될 것이다. 과연 당신과 나는 이렇게 살아가는 게 맞는 걸까, 이게 잘하는 걸까? 차라리 당신이든 나든 어느 한 사람의 세상이 무너져 서로가 구세주로 나타나 주기를 기도하면 안 될까? 우리 꼭 그렇게 잘 사는 척하며 살아가야 하는 걸까.

같은 마음

뻔한 변명이 될 수도 있겠지만 숨기려 한 적 없어. 네가 이렇게 불안해하는 모습이 눈에 보이는데, 아무리 네가 숨기려 해도 보이는데.

별것 아니라도, 그 별것도 아닌 일조차 네게 말하기 벅차 어떻게 말을 꺼내어야 할지 알 수 없어서 항상 난 아무것도 아니란 말밖에 할 수 없었어.

변명이라고 하면 변명이고
내 마음이 떠났다고 생각하면 그런 거야.

결국 너는 내가 무엇인가를 숨기려 했다고 생각하게 되고,

나는 숨기려 하지 않았어도 숨기는 게 되어버리는 거겠지.

내게 아무것도 아닌 행동이

네게는 상처가 될 것 같아서

난 아무것도 할 수 없어.

나도
언젠가

악몽을 자주 꾸던 당신이었는데, 이런 날에는 새벽에 뜬금없이 걸려온 당신 전화에 괜찮다고 다독여주는 일을 하곤 했는데, 그럼 금세 괜찮아지던 당신이었는데. 얼마나 상처가 많은 사람이었으면 그렇게 예쁜 얼굴을 하고서 그런 악몽을 꾸었을까. 그런데 이게 다 무슨 소용일까. 언젠가 내 존재도 당신에게 악몽이 될 텐데.

아무
대책 없이

조금만 참아요. 나라고 해서 가끔 당신이 그립거나 보고 싶지 않았겠어요? 내가 무슨 냉혈인간도 아니고 한순간에 당신을 지워내는 일은 할 수 없어요. 앞으로도 가끔 당신이 보고 싶을 거고, 아무 대책도 없이 다시 당신을 껴안고 싶을 때도 있어요. 하지만 이미 그런 거로는 돌이킬 수 없을 만큼 멀리 온 것 같아요. 그러니 당신과 나 각자 몇 번씩만 더 참아봅시다. 분명 괜찮아질 날이 올 거라 믿으면서 버텨봅시다.

태풍의 눈

내가 하는 사랑이 평범한 사랑이라 생각했다.
그래서 평범하게 사랑하는 것이 평생을 사랑하는 방법이라 믿었다.

내 사랑의 방식이 너와 달라도 언젠가 네가 내 사랑의 방식을 이해할 날이 올 것으로 생각했다. 내 사랑이 틀리지 않았음을 알아줬으면 했다.

너는 수도 없이 나에게 사랑을 확인하려 들었다.

사랑하는 사람에게 듣지 말았어야 했던 말을 듣기 전까진 분명 사랑이었다. 네가 “나 정말 사랑하냐.”는 질문을 내뱉기 전까지는 분명 사랑이었다.

지나가는 바람도, 지나가는 태풍도 아니었다.
바람이라고 하기에는 너무 컸고
태풍이라고 하기에는 너무 작았다.

너는 그냥 지나가는 태풍의 눈이었다.

사랑해

너는 항상 내게 사랑을 확인하려 하더라. 그럴 때마다 '나를 믿지 못해 묻는 이야기일까?' 하는 생각밖에 안 들어. 변명이라면 변명이겠지만 나는 네가 그 질문을 하는 게 너무 미웠어. 네게 주고 있는 사랑이 전달되지 않은 게 말이야. 하지만 이 문제는 사랑받고 있음을 느끼게 해주지 못한 내 잘못이겠지. 미안해. 내가 네게 하는 말이 사랑한다는 말이 아니라 미안하다는 말이 되어버린 것도 미안해. 네 입에서 나를 사랑하냐는 질문이 나오게 해서 미안해. 그런 질문을 하는 네가 더 많이 아팠을 텐데, 나는 그런 네 마음을 생각하지도 못하고 내가 하고 싶은 말만 했어. 내게 사랑을 묻기 전에 사랑받고 있음을 느낄 수 있게 내가 더 잘할게.

다음 생에
만나게 되면

다음 생에 당신을 만나 사랑했어야 했는데. 이번 생에는 당신을 사랑하지 말았어야 했는데. 당신이 아닌 다른 누군가를 사랑해본 적 없는 채로 당신을 만났어야 했는데. 가능하다면 우리 이번 생은 서로를 잊는 것밖에 할 수 없는 불행에 펑펑 울며 남은 생을 살아가는 건 어떨까요. 다음 생에 우리가 만나 눈물 흘릴 일 없게, 서로에게 사랑은 서로밖에 없게 말이죠.

당신은 어때요? 난 당신이라면 내게 주어질 다음 생 정도는 모두 걸어볼 수 있는데

늘 내 사랑이 부족한 너에게

우리 많이 지친 거 같다. 내가 이기적으로 말하는 건지는 잘 모르겠는데, 서로 예전 같지가 않다는 거 너도 알고 있을 거야. 처음엔 네가 많이 이해해주고 있구나 싶었는데 그 이해가 이제는 내게 당연한 게 되어버린 거 같아서 미안해. 네게 너무 많은 이해를 바랐던 내 잘못이야. 내 시간 속에서 너를 외롭지 않게 했다고 생각한다는 말은 구차한 변명이 되겠지만 그래도 그런 핑곗거리라도 내게 댈 수 있으니 다행이야. 정말 너를 외롭게 만들고 싶지는 않았거든. 그래서 난 나름대로 노력을 했어. 우리가 이렇게 하루를 또 이어가지 못한다면 네가 바라는 대로 이제는 평범한 연애를 하길 바랄게.

차라리
우리,

달이 잘 보이는 어딘가로 도망이라도 갔어야 했나 봐요. 아무도 없는 곳이라도 당신만 있다면 될 것 같은데. 보고 싶은 것만 보고, 듣고 싶은 것만 들을 수 있게 아무도 없는 곳으로 도망이라도 갈 걸 그랬어요. 당신이 나를 사랑해줄 수 있을 때까지 매일 밤 달이나 올려다보며 당신이 원하면 언젠가 저 달이라도 따올 수 있다며 시시한 농담이나 하면서 둘만의 시간을 보낼 수 있었더라면 어땠을까요. 당신에게 온전히 귀속될 수 있을 때 당신을 만났더라면 어땠을까요. 당신이 나를 사랑해서 잃기 싫다면 차라리 나랑 아무도 없고 달이 잘 보이는 어딘가로 도망가주세요. 그럴 수 있을 때 내게 보고 싶다 말하세요. 준비는 해두겠습니다.

여기까지

네 마음이 어떻든 더 네게 전할 말은 없을 거 같아. 네 마음과는 달리 나는 네게 연락할 이유가 없다는 말이야. 잘 지내느냐고도 묻지 않았으면 좋겠어. 이 연락이 네게 하는 마지막 연락이 될 거야. 왜 이제야 연락했냐며 나도 너와 같은 마음이라고 말하지는 못할 거 같아. 우리가 이렇게밖에 될 수 없었던 이유는 누구보다 네가 더 잘 알 거잖아. 그러니 더는 말하게 하지 마. 그래도 한때는 우리라고, 사랑이라고 말할 수 있었던 사람인데 모질게 대하는 것도 힘들어. 그러니 이제 그만 우리를 추억 속에 묻어주길 바랄게. 누가 그러더라고. 추억은 추억일 때 가장 아름다운 법이라고.

최고의
사랑

최고의 사랑이 최악의 이별이 되는 건 이해할 수밖에 없지. 네가 말했던 것처럼 당연한 거니까. 너의 부재를 부정하고 싶은 게 당연한 거니까. 이런 당신을 이해하는 나를 용서해. 차라리 내가 당신을 이해하지 못해 당신에게 더 모질게 할 수 있었더라면 당신이 덜 오래 아팠을 텐데. 심한 독감에 걸린 것처럼 한 번 끙끙 앓고 나면 괜찮아질 수 있었을 텐데 말이지.

외로움과

말도 안 되는 일도 새벽이라는 단어로 이해할 수 있는 게 있으니 당신도 새벽이라는 단어로 이해해볼게요. 당신이 느낀 외로움과 절실함을 구분해야 한다면 당신의 새벽이 절실했던 거라 합시다. 당신은 고작 외로움 따위와 사랑을 구분하지 못하는 사람은 아닐 테니까요. 당신에게 애틋한 온기를 남기고 떠나 미안합니다. 그건 저도 어떻게 할 수 없습니다.

정말
그대네요

우연에 불과할 수밖에 없다. 우연이 반복되면 운명이라고 그러더라. 그런데 난 우연이 반복돼서 운명이 되는 게 아니라 우연을 운명으로 선택해서 운명이 된다고 생각해. 우연은 우연일 뿐이고 우연을 운명으로 발전시키는 건 서로의 몫인 거지. 그래서 나는 끝까지 모르고 지내려 해. 잘 지냈으면 좋겠다는 인사는 하지 않을게. 분명 넌 못 지낼 테니까. 분명 넌 또다시 운명을 믿으려 할 테니까.

잘 지내줘

네 안부를 묻고 싶었지만 차마 물을 수가 없더라. 차라리 요즘 어떻게 지내냐는 말을 건네기에는 너무 많은 시간이 흘렀다고 하고 싶어. 사실은 시간이 길었건 짧았건 네게 안부를 묻는 일을 할 수가 없는 거니까. 네게 잘 지내냐는 말 한마디를 하기에 우리 사이의 시간은 무의미한 거니까. 우연히 네가 웃고 있는 모습을 봤는데 그제야 알겠더라. 나는 네가 그렇게 웃는 모습이 좋아 너를 사랑하게 됐는데 나를 만나기 시작하면서 웃는 모습이 사라져가고 있었다는 거. 내가 가장 사랑한 네 모습을 없애버린 것도 나였다는 거. 그래서 네게 시간을 핑계 삼아서라도 안부를 물을 수가 없어. 잘 지내줘.

당신의 사랑은

내가 당신 안아주면 당신 더 아프게 지낼 것 같아서 그건 안 되겠어요. 솔직히 그냥 눈 딱 감고 한 번 안아주는 일 따위는 얼마든 할 수 있지만 당신이 괜찮을까요? 그냥 눈 딱 감고 며칠만 더 참아보면 안 될까요? 내가 당신의 새벽을 채울 수 있는 축복의 주인공은 될 수가 없어요. 당신의 다음 사랑에게 이 축복 양보할게요.

고마워

그때는 네가 참 미웠는데 오히려 이제는 고맙다는 말을 해야겠어. 매번 매달리고 붙잡으려 했던 내게 아무 대답도 주지 않았던 너라서 너무 매정하다고 생각했어. 무슨 대답이라도 해달라고 애원했을 때 이제 그만 연락하라는 모진 말밖에 하지 않았던 네가 원망스럽기까지 했거든. 그런데 시간이 좀 지나고 나니까 네 행동 덕분에 조금 더 빨리 무뎌질 수 있었던 거 같아. 그때는 너무 아파서 차라리 세상이 무너졌으면 했거든. 그래야 나만 무너져버린 게 아니라고 체념이라도 할 수 있을 거 같았으니까. 그런데 지금은 네게 감사의 인사를 전하고 싶어. 나에게 더 이상의 희망을 보여주지 않았던 네게 고맙다는 말을 전하고 싶어.

돌아갈 수 있지만

우리가 돌아갈 수 있다고 해도, 우리가 서로를 더는 신경 쓰지 않고 살아갈 수 있다고 해도, 시간을 돌이킬 수 있다고 해도 그게 무슨 소용이 있겠어요. 당신이 원하는 대로, 당신 소원대로 서로를 잊을 수 있다면 얼마나 좋겠어요. 그러지 못할뿐더러 만약 그럴 수 있다 해도 당신은 나를 잊기 위해 그 소원을 써야 해요. 내가 당신에게 해줄 수 있는 건 다 할게요. 다만 돌아가지는 않을 겁니다. 우리를 또 지옥에 빠트리는 짓을 하고 싶지는 않아요. 그냥 사랑하지 않았던 것처럼 서로를 바라볼 수 있을 때가 오기를 바랄게요.

사랑했지만,
이젠

정확하게 말하자면, 당신을 사랑했지만 이제는 확신이 없어요. 그래서 이제 당신을 사랑이라는 이름으로 부를 수가 없을 것 같아요. 그게 우리가 헤어지는 이유라고 한다면 이해해줄 수 있을까요? 이해하지 못해서 아직도 사랑이라 생각한다면 이 쓸모없는, 사랑 아닌 사랑이라도 가져가세요.

아, 물론 이번 사랑에 내 책임은 없어요. 이기적이지만 내가 당신에게 하는 사죄는 당신을 사랑이라 부르지 않고 당신이 나를 떠날 수 있을 때까지 옆에 있어만 주는 거예요. 내가 생각해도 너무 못된 것 같은데 나 그냥 이대로 죽어서 사라져버리라고 저주해주면 안 될까요?

우리 이대로
정말

미안하다는 말이 최선이 아니기를 바라고 있었는데, 넌 항상 미안하다는 말밖에 못하더라. 그게 네 최선이라면 우리는 이렇게 늘 서로에게 미안해해야 한다는 거네. 네가 선택한 최선이라는 게 사랑하는 사람에게 미안하다는 말만 하는 거라면 이번엔 내가 먼저 미안하다 말할게. 미안해, 이것밖에 안 되는 사람이라서. 네 마음을 모르는 게 아니라 무슨 일이 있든 먼저 미안하다 사과하려는 네 마음을 너무 잘 아니까 너무 아프네.

너는
사랑을 물었고

나 사실 정말 네게 묻고 싶었거든. 나를 사랑하긴 하는 거냐고. 그런데 내가 이 말을 내뱉는 순간 우리 사이는 거기서 끝나버릴 것만 같았거든. 이제는 들어야겠어. 네게 나는 어떤 존재인지, 나를 정말 사랑하긴 하는 건지.

아마 넌 그게

매 순간에 서로를 그리워하는 것도 어느 순간부터 점점 흐려질 테지만 그 순간이 올 때까지 그리워하는 건 괜찮을 것 같아요. 대신 각자 감당할 수 있는 만큼 그리워하기로 해요. 누가 더 그리워하게 될지, 누가 더 아픈 시간을 보내게 될지는 잘 모르겠지만 그리움에는 죄가 없으니 당신이 나를 더 그리워한다고 해서 미워하지는 않을게요. 서로 빈자리의 그림자가 짙어질 때까지 잘 버텨봅시다. 그럼 이만 잘 지내세요.

추억
속에서만

잊힐 수 없는 사람이라면 차라리 내 추억 속에서만 살아. 정말 모진 당신이었는데, 왜 당신 때문에 아팠던 기억은 하나도 나지 않고 우리 사랑했던 순간들만 기억에 남아 있는 걸까. 네 목소리, 숨결, 행동 하나하나가 이제야 느껴지더라. 지금이라도 느껴져서 다행이야. 나도 누군가를 이렇게 많이 사랑할 수 있다는 걸 알게 됐으니까. 우리 정말 많이 사랑하긴 했나 봐. 그러니까 이젠 서로의 추억 속에만 살아 있자. 너에게도, 나에게도 추억 속에서만큼은 평생 아름답기를 바랄게.

문득
떠오르는

정해놓은 대로 살 수는 없으니 혹시 당신이 원한다면 나를 여전히 사랑하거나 원망하는 일을 더 해도 괜찮아요. 그래도 확실한 건 당신도 알고 있죠? 결국 아픔은 당신의 몫이라는 걸요. 나도 사람이니 아무리 당신을 완벽히 잊었다 해도 가끔 당신 생각이 날 것 같아요. 혹여나 당신도 나와 같다면 서로 그리워하면서 잘 살아봅시다. 문득 떠오른 추억을 간직하며 각자 잘 살아봅시다.

완벽한
악역

우리도 결국 이렇게 됐네. 꼭 누군가 악역이 되어야 하고 누군가는 상처 받는 처지가 되어야 하는 끝을 원한 적도 없는데. 누구를 만나든 늘 끝은 이런 식이네. 있지, 우리가 헤어졌다는 사실보다 우리가 이렇게 헤어져야 한다는 사실이 더 아파. 언제가 될지 모르는 끝을 가끔 생각해봤어. 근데 그 끝에 이런 결과는 없었거든. 꼭 누군가는 악역이 되어야 하고 누군가는 상처를 받아야 끝이 나는 서로 아픈 이별은 없었거든. 우리는 그러지 않을 거라 생각했던 내 믿음이 잘못된 거라면 서로가 아픈 이별을 해야 하는 이유는 내 탓이겠지. 어쨌든 중요한 건 절대 돌아갈 수 없다는 거, 그리고 우리는 더는 우리가 아니라는 거니까, 잘 지내줘.

감정의
책임은

좋아해도 돼요. 당신이 내게 가진 감정이 어떻든 우리는 각자 감정에 책임만 지면 되는 거잖아요. 당신이 어떤 선택을 하든 아플 거라면 딱 손잡고 있던 시간만큼만, 보고 싶다고 생각했던 시간만큼만, 같이 있고 싶다고 생각했던 망상의 시간만큼만 아픕시다. 당신이 아파하는 시간 동안은 기다릴게요. 내가 행복하길 바란다고 하셨죠. 그럼 온갖 착각이라도 해서 괜찮아질 수 있다고, 내가 당신을 기다려줄 수 있을 거라고 생각하세요. 혹시 모르잖아요. 당신이 그만 아플 수도 있으니까. 나 계속 좋아해도 돼요.

미안하다는
말로는

내가 살아가는 이유가 당신이라고 해도 과언은 아니었을 거야. 그만큼 내게는 당신이 큰 존재였거든. 그래서 지금 내 선택이 옳다고 말할 수는 없어. 네가 힘들 것보다 아마 내가 더 힘들 테니까. 내가 더 아플 테니까. 내가 살아가는 이유를 나 스스로 없애버리는 거니까. 내 존재의 이유가 사라져버리는 선택을 한 거니까 옳은 선택은 아닐 거야. 그렇지만 우리 이제는 헤어져야겠다. 네가 헤어지자 할 때마다 붙잡던 나였지만, 너를 붙잡고 있는 동안의 우리는 사랑이 아니라는 것쯤은 알아. 너를 사랑했던 시간이 내 삶의 이유였다면 너를 붙잡고 있는 시간은 내 죽음의 이유가 되어버릴 거 같거든. 그러니 이제는 놓아줄게. 내 아픈 사랑아.

어쩌면
우리에겐

어디서부터 잘못된 건지 하나도 모르겠어. 너랑 헤어진 지 벌써 며칠이 지났는데 늘 잘 지내왔던 우리라서, 남들 다 겪던 권태기조차 없던 우리라서, 너무 갑작스럽게 찾아온 이별이 아직도 믿어지지 않고, 믿고 싶지도 않아. 너는 몇 번을 붙잡아도 흔들리기는커녕 더 모진 말만 하더라. 그래도 난 네가 갑자기 변할 사람이 아니라고, 갑자기 변할 마음이 아니라고 믿을게. 난 이제 마지막으로 네게 하고 싶은 모든 말을 나 하려 해. 나는 아직 너를 사랑해. 언제까지나, 항상 사랑할 거야. 우리는 이제 헤어지지만, 너와 함께했던 모든 일상이 행복했고, 고마웠어. 그리고 어느 순간 네가 후회하고 다시 내게 돌아온다고 해도 그날의 너를 사랑할게. 잘 다녀와.

당신이 믿고 싶다면

하루에도 수십 번을 네게 미안하다 되뇌고 고마웠다 되뇌는 일을 해야 할 것만 같아. 미안해, 난 당신에게만 온전히 집중하는 사랑을 할 수 있는 사람이 아니었던 거야. 네게 준 감정에 어떠한 거짓도 없다 선언할 수 있지만 그 감정의 시작이 어쩌면 사랑이 아니라 동정이었을 수도 있어. 미안하지만, 정말 미안하지만 나는 아직도 잘 모르겠어. 어떤 말을 해도 네게는 변명이 될 테지만 그게 끝까지 너를 더 비참하게 만드는 것 같으니 이제 그만할게. 잘 지내라고는 못하겠어. 잘 버텨줘.

미안해

너 저번에 별것이 다 서운하냐고 물어봤잖아. 별것이 다 서운한 게 아니라 그 별것도 아닌 것 때문에 네게 서운한 감정을 느껴야 한다는 게 너무 싫었어. 예전에는 이런 거로 서운해하는 내가 미웠는데 이제는 또 같은 이유로, 별것도 아닌 일로 서운하게 만드는 네가 너무 미워.

잘 지내지 마요

잘 지내라는 말을 그렇게 쉽게 하는 사람이라는 거 애초부터 알았더라면 너를 알고 지낸 모든 시간 동안 못 지낼 걸 그랬어. 네 입에서 잘 지내라는 말 듣고 싶어서 함께했던 시간이 아닌데, 너는 어떻게 잘 지내라는 말 한마디로 모든 관계를 정리하려 해? 네가 잘 지내라고 말한다고 해서 잘 지내질 거 같았다면 정말 넌 나를 사랑하지 않았던 거야. 차라리 잘 지내라는 말 대신 잘못했다며 뻔한 변명이라도 늘어놓지. 나 못 지낼 거야. 너 때문에 못 지낼 거야. 그러니 너도 못 지냈으면 좋겠어.

당해보면 다 알아요

이미 떠난 사람에게 좋은 사람으로 기억되는 일을 기적이라고 합시다. 그동안 몇 번의 기적이 있었다고 해도 이번만큼은 기적을 바라지 않겠습니다. 당신에게 좋은 사람으로 기억될 수 없다는 거 압니다. 언젠가 제가 똑같이 당할 수도 있다는 것도 잘 알아요. 미안합니다, 당신을 사랑하지 않았던 건 아니지만 마음이 사라진 당신을 사랑할 수는 없었어요. 어차피 내 문장은 모두 변명입니다. 결국 당신을 사랑이라 부르며 사랑하지 않은 내 잘못입니다.

2

당신이 떠난 뒤
몇 번의 환절기가 찾아왔다

그게 아니면
사랑이 아닐 테니까

사랑하면 다 그렇다.

사랑하니까 그럴 수밖에 없다.

별것도 아닌 것에 서운하고

특별한 것도 아닌데 특별해지는 것.

어쩔 수 없이 그럴 수밖에 없다.

그게 아니면 사랑이 아닐 테니까.

¶

"너는 어떤 사람이 좋아?"

"나를 보며 미소 짓는 표정에서 모든 게 느껴지는 사람이 좋아. 나를 너무 사랑하는 게 느껴지거든. 그런 사람이라면 당장이라도 내 우주를 줄 수 있을 것 같아. 그 사람이 내 우주보다 더 큰 사람이라면 내가 그 사람의 우주가 되어줄 수도 있을 만큼 사랑할 수 있거든."

사랑도
증오도
무엇도 아닌

복잡한 감정이다. 사랑도 증오도 아닌, 그리움만 남아 있는 것 같으면서도 아직도 이렇게 생각나는 걸 보면 사랑인가 싶다가도 한순간에 네가 너무 미워지는 것이 그날의 당신을 증오하고 있는 게 아닐까 싶고. 결국 정답을 내리지 못한 채 잊힐 때까지 사랑과 증오를 함께하겠지. 그래도 다행이다. 아직도 내 사랑이 당신이라, 늘 당신일 거라.

내 걱정은
하지 않는 걸로

그냥 차라리 네가 기억에서 나를 지워줬으면 좋겠어. 또다시 혼자 하는 사랑이 되더라도 네 기억 속에 내가 없다면 다시 한 번이라도 네 목소리를 들을 수 있을 테니까. 아주 약간의 기적이 있다면 다시 네 손을 잡을 수 있을 테니까. 난 그동안 너와 함께했던 추억들로 모든 순간을 버틸 수 있으니 내 걱정은 하지 마.

너에게
듣고 싶은 말

너만 힘든 게 아니라는 말이 듣고 싶은 게 아니잖아. 세상 사람들 전부 힘들어도 참고 살아간다는 말을 듣고 싶은 게 아니란 말이야. 그냥 괜찮다고 다독여주기만 해도 된단 말이야. 나도 알아. 세상 사람들 모두 힘들어도 참고 살아간다는 거. 그래도 적어도 네게 힘들다고 말했을 땐 그런 식으로 대답하지 말았어야지. 빈말이라도 괜찮을 거라고, 잘하고 있다고 응원이라도 해줬어야지. 내 편이 되어줘야 할 사람이 내 편이 아닌 거 같을 때 얼마나 비참한지 너도 잘 알잖아. 나 오늘은 많이 힘들어. 그러니까 네가 내 편이라면 오늘만이라도 나 좀 다독여줘.

추억 속

어쩔 수 없는 거지.

나는 네 추억 속에 살아야 하는 거고

너는 내 추억 속에 들어오기에는 너무 큰 존재이니까,

아직은 내 추억 속에 너를 담을 수 없는 게 당연하지.

허황

당신의 하늘이 되고 싶다거나 당신의 산소가 되고 싶다는 말도 안 되는 말을 해야겠어요. 당신이 기대도 하지 않을 허황된 이야기를 해야겠어요. 그래야 당신이 기대하지 않을 테니까. 혹여나 내가 만약 정말로 당신의 하늘이 되고 산소가 된다면 당신은 더 행복할 테니까.

자존감

자존감은 처음부터 낮은 게 아니라
주변으로부터 낮아지게 되어 있다.

나와 어울리지 않는 사람을 억지로 껴안고 있다거나
나를 버려가며 그런 사람들 곁에 있기 시작할 때부터
자존감이 낮아지기 시작하는 거지.

착각

결국 이렇게 될 거라는 거 몰랐던 척하지 마. 너 혼자 사랑에 빠졌으니 혼자 아파해야 하는 건 당연한 일이잖아.

아무것도
아닌

마음이 주고받는 거라면

내가 당신에게 준 마음은 사랑이었고

당신이 내게 준 마음은 아무것도 아니었다.

어쩌면 당신이 느끼기엔

내가 준 마음도 아무것도 아니었을지 모르지.

결국 그렇게 우리는 서로에게

아무것도 아닌 게 되어버리겠지.

내일의
당신에게

당신에게 소중하지 않은 시간이라는 건 존재하지 않는다. 소중한 매 순간이 존재하는 덕에 네가 있고 내일이 있는 것이다. 간혹 악몽 같은 시간이 있다 해도 자책하지 말라는 이야기이다. 어쨌든 난 내일의 네가 행복하길 바랄 테니까.

追突注

마음 접기

너에 대한 마음을 접어두려 해.

왜 그런 거 있잖아. 책을 읽다가 마음에 드는 구절이 있으면 당장에라도 바로 펴볼 수 있게 페이지의 끝을 접어두는 것처럼, 당장에라도 너를 바로 찾을 수 있게 너에 대한 마음을 접어두려 해.

오늘도 내일도
늘 내 곁에

내 곁에 머물러줘서 고마워요.

너무 당연하게 내 곁에 있어야 하는 사람이라 이런 말 꺼내기 부끄러웠어요. 사실은 당연한 게 아닌데 당연할 만큼 내 곁에 있어준 당신에게 고맙다는 말 한마디 정도는 하고 싶었어요. 오늘은 꼭 해야겠어요. 사실 이런 말하는 거 정말 민망해요. 하지만 내 곁에 있어주는 당신이 언제 사라져버릴지 모르는 거니까 표현할 수 있을 때 할게요. 내 곁에 머물러줘서 정말 고마워요. 무조건 내 편이 되어줘서가 아니라 내게 필요한 말을 해줘서 더 고마워요. 가끔은 내게 모진 말을 할 때도 있지만 그게 사실은 내게 정말 필요한 말이었다는 거 잘 알아요. 우리 지금처럼 쭉 지내요. 사람이 변하지 않을 수

는 없으니까 같이 변해요. 나는 당신 곁에서, 당신은 내 곁에서 같이 변해요. 이왕 변하는 거 더 좋은 쪽으로 변하면 좋고요. 오늘도, 내일도 늘 내 곁에 머물러줘요.

¶

"오늘 왜 그래요?"

"오늘은 좀 많이 서운해요. 별것도 아닌 일에 서운해하는 나 자신 때문에 더 비참하고요. 그래서 그래요. 별것도 아니고, 말하기도 애매한 고작 그런 일 때문에 당신에게 서운한 감정을 느끼는 게. 그리고 고작 그런 일을 당신이 몰라주는 게 너무 서운해요."

삶의 의미

이대로 죽어버릴까도 생각했다.

내가 없는 세상에서도 내가 사랑하는 사람들이

이대로 아무렇지 않게 지낼 수만 있다면.

양보

당신에게 내 새벽을 전부 양보할게요. 혹여나 당신이 나를 아프게 한다고 해도 괜찮아요. 새벽이라는 이유만으로 모든 것을 용서할 수 있을 거 같으니까요. 그렇게 당신에게 내 새벽을, 당신에게 나를 양보할게요.

이별에는

이별에는 갑자기라는 게 없다.

누군가는 변하기 시작했을 것이고,

누군가는 이별을 피하기 위해

혼자 아파했을 테니까.

힘든 게 아니라
아픈 것일 테니까

한평생 단 한 사람을 사랑하고 싶어요.
평생 그 사람만 사랑해야 한다 해도 좋아요.

사랑하는 누군가를 미워하고
잊는 일보다는 덜 힘들 테니까.

사랑하는 누군가를 미워하고 잊는 일은
힘든 게 아니라 아픈 것일 테니까.

나의 바다

바다에 가야겠다.

나보다 더 큰 무언가가 있는 그곳으로 가야겠다.

그것이 나를 감싸줄 수 있을 거 같으니까.

그것이 설령 죽음이라고 해도 나는 오늘 그곳에 가야겠다.

그게 무엇인지 확인해야겠다.

¶

"미안해."

네게 가장 많이 들었던 말이다.

"무슨 말이라도 좀 해. 이렇게 아무 설명도 없이 미안하다는 말로 이 상황만 넘기려 하지 말고, 아무 말이라도 좋으니까, 핑계라도 좋으니까 안심이라도 시켜주란 말이야. 왜 항상 나 혼자 불안해하며 지내야 하는 건데? 나 사랑한다며. 네가 하는 사랑이 이런 거라면 나 더 이상 네가 주는 사랑 못 받아."

따뜻한 사람

사람을 바라보는 시선이
따뜻한 사람이 되어야지.

뜨겁지도 차갑지도 않은
적당한 온도를 가진 사람이 되어야지.

내 곁에선 누구나 봄이 될 수 있게.
내 곁에서 누구나 꽃을 피울 수 있게.

여행

여행이 아름다운 이유는 끝이 없어서라고 생각해요. 삶을 살아가는 것 자체가 여행하는 것이니까, 떠나면 또다시 여행의 시작이니까 여행에 끝은 없는 거예요. 그래서 아름답다고 생각해요. 끝을 생각하는 게 아니라 다음을 생각하게 되니까. 그러니 떠날 수 있을 때 떠났으면 좋겠습니다. 특별한 계획이 없어도, 특별한 이유가 없어도 무작정 계획을 세우고 아무 이유라도 만들었으면 좋겠습니다. 그렇게 살았으면 좋겠습니다. 하고 싶은 일이 있다면 어떻게든 이유를 만들어서라도 무작정 시작했으면 좋겠습니다. 인생을 여행같이 살았으면 좋겠습니다. 인생을 여행처럼 즐겼으면 좋겠습니다.

바다에 죽다

너와 내 거리를 좁힐 수만 있다면
네가 좋아하는 바다에 빠져 죽어도
후회는 하지 않을 거라 약속한다.
그게 너와 가까워질 수 있는 방법이라면
나는 그렇게 바다가 되려 해.

더 성숙한
더 사랑받을

더 성숙한 사람이 되어 돌아왔구나. 더 사랑받을 자격이 충분한 사람이 되어 돌아왔구나. 나도 가끔은 너무 힘이 들어 이대로 세상이 무너져버렸으면 싶었거든. 온 세상이 무너져버린 거니까, 나만 무너져버린 게 아니니까 이 모든 상황에 체념할 수 있을 거 같았거든. 그래도 잘 이겨낸 거 같아서 다행이야. 가끔은 또다시 네가 사랑하는 것들이 너를 아프게 하겠지만 이제는 걱정하지 않을게. 지금처럼 잘 이겨낼 사람이니까. 가장 너다운 모습을 잘 아는 사람이니까. 너는 너다울 때 가장 아름다운 걸 잊지 말아줬으면 해. 아팠던 만큼 성장하는 거라면 그게 무엇이 됐든 내일의 너를 만들어준 거니까. 너를 아프게 했던 것들마저 용서하기를 바랄게. 지난 시

간은 추억이 되는 거니까. 추억은 추억으로 남아 있을 때 가장 아름다운 거니까. 네 아팠던 추억마저 찬란하기를 바랄게. 고마워, 이렇게 예쁜 모습으로 다시 돌아와줘서.

내 욕심이
이루어지기를

좋은 사람이 되고 싶다. 언제까지든 얼마든지 기다릴 수 있으니까 너에게는 항상 좋은 사람이 되고 싶다. 그냥 그렇게 너에게 좋은 사람으로 남아 평생을 너를 사랑하며 살아보고 싶다. 너에게 좋은 사람으로 기억되고 싶은 게 아니라 좋은 사람으로 네 곁에 있고 싶어졌다. 나는 그렇게 네 곁에서 좋은 사람으로 지내고 싶다.

¶

"'우리 늘 지금처럼 행복하기만 할 수 있을까.' 하는 생각이 들어. 너무 행복한 날을 보내고 있는 요즘이라 이 행복의 끝이 어디까지일지 걱정되고, 이 행복이 끝난 후에는 얼마나 아플까 싶어. 그래서 너무 무서워."

"지금 네게 필요한 건 예쁜 단어로 치장된 고백이 아니라 확신인 거 같으니까 확신을 줘야겠네. 지금처럼 늘 행복하기만 할 수는 없겠지. 하지만 지금처럼 늘 곁에 있겠다고 약속할게. 분명 남들과 다를 것 없는 사랑을 하는 우리라 가끔은 다툼도 있고, 어떨 땐 이별의 문턱까지 가게 되겠지만 지금은 우선 이대로 행복하기만 하자. 아플 생각보다는 앞으로의 우

리만 생각하자. 감정이라는 게 내 마음대로 되는 게 아니라 네게 확신을 주는 방법도 잘 모르겠지만 잘해보자, 우리. 앞으로도, 지금처럼 늘 행복하기만 하자."

어중간한
관계

서운함을 표현하는 것도

마음을 표현하는 것도

그 어떠한 것도 할 수 없는

어중간한 관계가 가장 힘들지.

그런 날

오늘은 정말 기댈 곳이 필요해요.

더 이상 버티지 못할 거 같아요. 내 이야기를 들어주지 않아도 좋고, 가식 섞인 뻔한 위로를 해줘도 좋아요. 누가 됐든 부디 내 곁에서 오늘만이라도 있어주세요. 그래야 내가 오늘을 살아갈 수 있을 거 같아서 그래요.

미안해요, 부탁할게요.

여행 같은 사람

여행 같은 사람이 되어야지.

언제 와도 좋고

다시 와도 좋은 곳이 되어야지.

언제, 누가 찾아와도 행복할 수 있게.

사람에게
사치를 부리다

사람에게 사치를 부리고 싶을 때가 있어요. 바라지 말아야 할 것들을 바라게 될 때 사치를 부리고 싶어요. 변하지 않을 거라는 걸 누구보다 잘 아니까 그게 사치라는 것도 잘 알아요. 아무리 내가 바란다고 해도 그렇게 될 것들이 아니니까. 애초부터 나에게 어울리는 사람이 아니었으니까 포기하는 게 맞는 건데, 그래도 한 번쯤은 욕심내고 사치를 부려도 된다면 허락해줘요. 내가 부린 사치가 얼마나 힘든 결과를 안겨주게 될지는 그때 가서 생각할게요. 어차피 내가 한 번쯤은 아파야 하는 선택이니까 차라리 더 아픈 선택을 할게요. 그러니 한 번이라도 좋으니 나랑 같이 가요. 그 길의 끝에 뭐가 있든 난 괜찮아요. 내 걱정은 하지 않을 당신이니까.

나를 잊은
몇 초

연락이 안 돼서 화가 나는 게 아니라
단지 몇 초만 신경 써도 되는 시간에
나를 잊고 있었다는 것에 화가 나는 거지.

신이 존재한다면

이럴 거면 차라리 잘해주지를 말았어야지. 차라리 내게 무관심했어야지. 이제 와서 내게 눈길조차 주지 않는 이유는 도대체 뭔데. 네가 상상하던 나는 도대체 뭐였기에 이토록 매정할까. 네 곁에 놔두고 보니 생각했던 것보다 별로였던 거라면 차라리 말을 해줘. 괜히 나만 나쁜 사람 만들지 말고. 내 입에서 헤어지자는 말이 나올 때까지 기다리지 말고. 네가 아무리 착한 척하려 해도 너는 내 생에서 가장 나쁜 사람으로 기억될 것 같다. 어쩌면 기억조차 되지 않을 수도 있겠다. 정말로 신이 있다면 신께 빌어볼까 하거든. 너와의 모든 기억을 지워달라고, 너를 내 인생에 두 번 다시 나타나지 않게 해달라고 말이야.

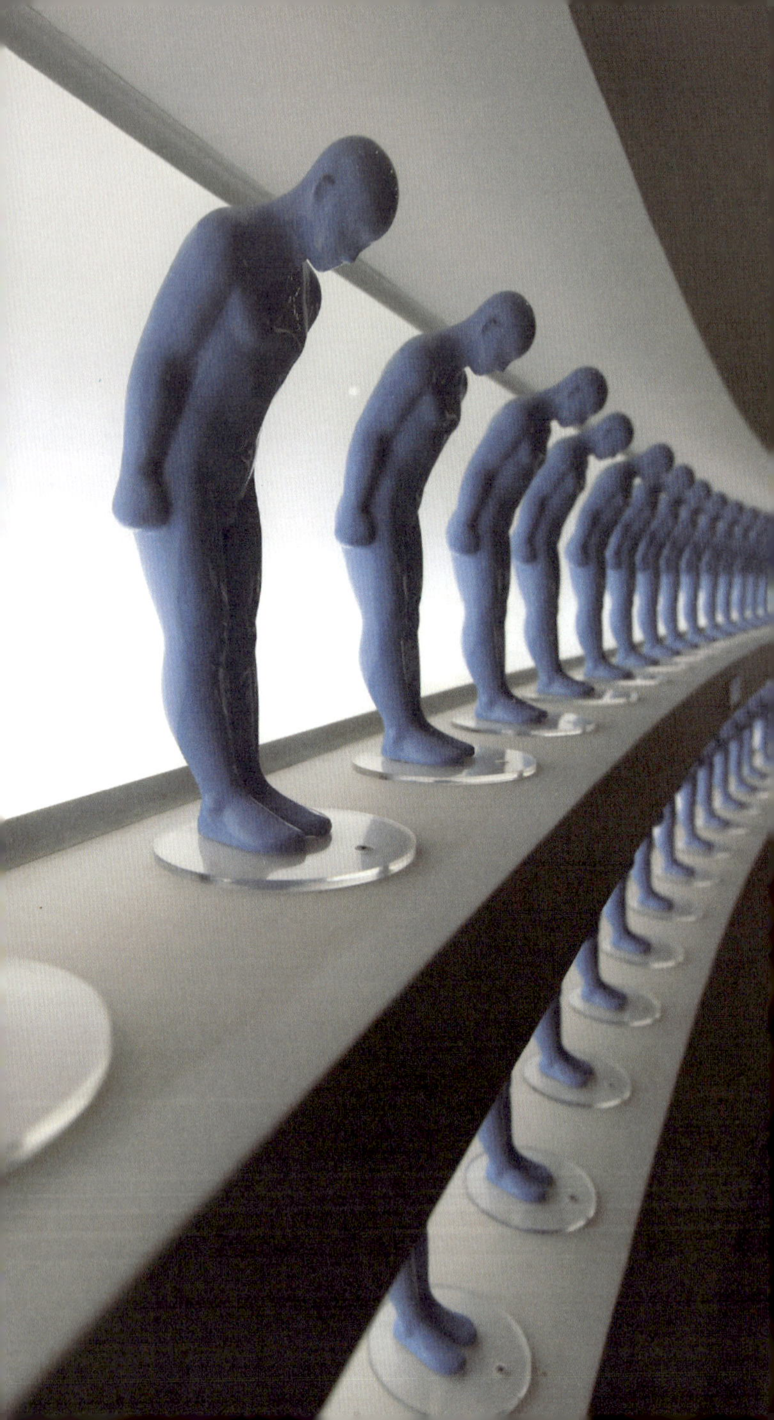

고민의 크기

지나고 보면 별것도 아닌 고민에
아파하고 상처 받기도 한다고 생각하지만
사실은 아파하고 상처 받아야
비로소 지나가게 되는 것이다.
그래서 고민의 크기는 상관이 없나 보다.

멀어지는
관계

멀어지는 관계라는 게 어느 한쪽이 멀리하게 되면 다른 한쪽이 멀어지는 만큼 다가가야 하니까 힘든 거야. 그런데 있지, 멀리하는 사람도 그만큼 도망가야 하니까 힘이 들게 돼. 이기적인 말이라고 할 수 있지만 어떤 방법으로든 다 힘든 거야, 관계를 끊는 일은.

성장

조금씩 성장해야 할 시기에

조금 성장했다고 자만하지 말 것.

조급해하지 말 것.

차근차근 하나씩 확실하게 성장해나갈 것.

¶

"미안해, 요즘 매번 다투기만 하네."

"나도 남들처럼 평범한 연애를 하고 싶어. 다투지 않는 게 가장 좋은 방법이겠지만 서로 다른 우리가 만났는데 어떻게 다 맞을 수가 있겠어. 다투지 말자는 게 아니라 다툼도 남들처럼 평범하게 했으면 좋겠어. 하루의 시작과 끝을 함께하고, 밥은 먹었는지 무얼 하고 있는지 사소한 것까지 공유할 수 있는 그런 사랑하자, 우리."

영원, 평생

세상에는 참 소수에게만 필요한 단어가 많다.
예를 들어 '영원'이라든지, '평생'이라든지
그런 지킬 수 없는 뜻을 가진 단어 말이다.

영원히, 평생 상처로 남을 단어.

겨울이 지나면
봄이 찾아올 테니

기다리기만 할 수밖에 없어요. 하염없이 누군가를 그리워하는 일이 되겠죠. 그래도 우리는 그리워하는 일밖에 할 수 없습니다. 내 곁을 떠난 사람이라도 당장 내 마음 한쪽에서 지워내는 일을 할 수 있는 사람은 없을 겁니다. 그래서 기다리는 거예요. 돌아오지 않을 걸 알면서도 돌아오기만을 기다리는 거예요. 기다리는 동안 조금씩 무뎌지며 잊어가는 거예요. 기다리다 보면 당신이 다시 나를 찾아오는 게 겨울을 지내면 따뜻한 봄이 찾아올 거라는 사실처럼 당연한 일이었으면 좋겠네요. 그럼 또다시 나는 당신의 모든 것을 용서할 수 있을 테니까요.

당신이라는
바다

당신이라는 바다 속에 잠기고 싶다.
어떤 누구의 소리도 듣지 않고
어떤 누구의 방해도 받지 않고
파도처럼 스쳐 보내도 돌고 돌면서.

짝사랑에 대한
지극히 개인적인 생각

며칠을 하든, 짝사랑을 하는 대상이 누가 되었든 확실한 것은 짝사랑도 사랑이라는 것이다. 누군가를 사랑할 수 있고 누군가를 그리워하고 간절히 원할 수 있다는 것이다. 그것만 있으면 누군가를 사랑하는 것에 있어서 부족한 점은 없을 것이다. 누군가를 사랑할 수 있는 감정을 가진 사람이라는 것 자체가 축복 아닐까. 꼭 사랑하는 사람의 손을 잡고 금방이라도 녹아내릴 듯한 눈빛으로 서로를 쳐다보고 있을 수 있어야 사랑이라 정의할 수 있는 것은 아니다. 혼자만 하는 사랑에 만족할 수도 있고, 둘이 같이하는 사랑에도 외로움을 느낄 수 있다. 이들의 공통점은 어찌 되었든 사랑하고 있다는 것이다. 그거면 충분하다. 누군가를 사랑하는 것에 조건은 필

요 없는 것이니까. 아무리 오를 수 없는 나무라 할지라도 쳐다보지도 못하는 것은 아닐 테니까. 그냥 누군가를 사랑할 수 있음에 만족해보는 것은 어떨까.

혼자서 하는 사랑이라고 해서 절대로 가벼운 사랑은 아니다. 다만 조금 외로운 사랑일 뿐.

망상

네가 그토록 바라던 꽃인데, 보고만 있어도 예쁘다는 감탄사가 절로 나오게 만드는 그런 꽃인데, 네가 그 꽃을 들고 있었더라면 얼마나 더 예뻤을까 궁금해. 이제 와서 이런 상상을 해본다고 해도 네 손에 꽃을 쥐여줄 사람은 내가 아닐 텐데. 그저 망상에 불과한 거겠지.

네가 준 여지는
내게 전부였으니

사랑이 아니었다면 내게 아무런 여지도 주지 말았어야지. 내게 눈길조차 주지 말았어야지. 이제 와서 아무것도 아니었다고 하는 네가 잘못된 거야. 이건 짝사랑도 아니었고 이루어진 사랑은 더더욱 아닌 거야. 그냥 넌 내 마음을 가지고 논 것일 뿐이야.

이별 후에 찾아오는 것들

슬픈 노래 가사는 모두 내 이야기를 하는 것 같고, 늘 걷던 길을 걸으면서도 마치 내가 영화 속 비운의 주인공인 된 것 처럼 과거를 회상하게 되더라. 아직도 너와 주고받았던 문자메시지를 지우지 못해서 계속 들여다보게 되고, 내 말투에서 변한 게 느껴질 때마다 가슴 한구석이 아려오고 모든 순간을 후회하게 된다. 이 모든 게 아직 내게 미련이 남아있다는 뜻이겠지. 하지만 내가 돌아갈 수 있다고 해도 우리는 돌아가지 못하겠지. 이미 변해버린 나를 살 아는 니다시, 나를 다시 사랑할 수는 없을 테니까.

실수

행동이 싫어서

사람이 싫어지는 경우가 있다.

정도를 모르고

같은 실수를 반복하는 사람이 있다.

실수를 안 하는 사람은 없지만

반복하는 것은 상대를 배려하지 않는다는 것이겠지.

¶

"보고 싶어."

"그럼 보고 싶다는 말에 어떤 핑계라도 부여해줘. 달이 예쁘다든가 날이 좋다든가 하는 온갖 핑계를 만들어줘. 그럼 난 달이 예쁘다는 핑계로, 날이 좋다는 핑계로 너를 사랑할게."

부디 오늘 새벽만은

하루에 한 번, 우울해지는 시간이 찾아온다. 새벽이 왔다는 증거겠지. 자고 일어나면 괜찮아질 것 때문에 아파하고 힘들어하기 좋은 시간이다. 죄 없는 휴대폰을 붙잡고 좋은 글귀를 읽고 좋은 노래를 들어도 좀처럼 나아지지 않는다. 우울이라는 게 그렇다. 좋은 노래나 좋은 글귀에도 나아지기는커녕 나와는 다른 이야기라며 부정하게 만드는 것. 세상에서 내가 가장 불행한 사람이라고 느끼게 하고, 내 자존감을 바닥으로 내던져버리는 게 우울이다. 분명 자고 일어나면 괜찮아지겠지만 자고 일어나서 괜찮아졌다고 한들, 또다시 새벽은 찾아오고 우울함도 함께 찾아온다. 사실 새벽은 그 누구도 감히 참견할 수 없는 나만의 시간인데 말이다. 누구도 감

히 참견할 수 없는 시간에 우울해지는 이유는 간단하다. 아무도 참견하지 않았으니 나를 우울하게 만드는 근본적 원인은 본인에게 있다는 것. 나를 우울하게 만드는 것은 나 자신이라는 말이다. 일어나지도 않은 일로 괜한 걱정을 한다거나 상대방의 마음을 나 혼자 단정 짓는다거나. 어떤 이유에서든 결국 우울함의 근본은 나 자신이다. 그러니 우울한 새벽을 보내기 싫다면 부디 오늘 새벽만이라도 자신을 사랑해주는 시간을 갖기 바란다.

착각

착각하지 마요.

상처를 외면할 수 있다고 해서

속에 있는 아픔까지 외면하지는 못해요.

아픈 건 그냥 아픈 거니까

힘들면 그냥 기대어주세요.

당신이 외면한다고 괜찮아질 거였다면

상처라고 말할 수도 없었겠죠.

조금은
아주 조금은

조금은 마음 편히 살아도 돼요.

당장 오늘을 살아가기도 벅찬 요즘이지만, 당장 오늘이라도 살아가야 하는 요즘이니까 조금은 편하게 지내도 돼요. 그렇다고 편함에 익숙해지진 말고요. 우선 오늘만이라도 편하게 지내주세요. 당장 내일이 어떻게 될지도 모르니까 하루 정도는 편하게 보내도 되는 거잖아요.

조금은 쉬어가도 괜찮아요.

어차피 끝은 있는 거니까.

어차피 내 인생에서 1등은 나 자신이니까.

봄

다시 봄이 오듯
돌아오는 거라면
그 봄 역시 당신이기를.
돌아오는 것 역시 당신이기를.

내 봄은 항상 당신이었으니
당신이 없는 계절은 늘 겨울이었다.

예쁜
사람아

웃는 모습이 예쁜 게 당연하지.

화를 내는 모습조차 예쁜 사람인데

그런 사람의 웃는 얼굴이 예쁘지 않을 수는 없지.

3

사랑의 물음에 진심을 답하다

사랑이라는 게 어려운 건가요?

쉬운 거라면 제게 질문을 하지 않았을 거 같아요. 사랑이라는 게 정답이 없는 거니까 본인이 어렵게 느끼면 어려운 거겠죠. 차라리 사랑이 쉬웠더라면 쉽게 누군가를 만나서 쉽게 사랑에 빠지고 쉽게 헤어 나올 수 있을 텐데 그게 아니잖아요. 그 모든 과정이 쉬웠더라면 사랑이라고 말할 수는 없어요. 다만 정말 사랑한다면 그 어려운 모든 게 달콤하게 느껴질 테니 걱정 마세요.

언제쯤 고백하면 좋을까요?

인생은 타이밍이죠. 할 수 있다면 언제든 하세요. 괜히 마음에 확신이 서지 않아서, 상대방의 대답이 두려워서 미루지 말아요. 용기만 있다면 지금 당장이요.

너무 잘해줘서 부담스러웠대요. 그만큼 절 좋아하지 않았던 거겠죠? 너무 미워요. 그냥 이게 트라우마가 돼서 앞으로도 사랑 못 받으면 어떡하나 밤새 걱정해요. 걔가 잘 지내는 거 보면 화가 나고요. 어떡해야 할까요?

잘해주는 것을 모르는 사람은 아니었나 봐요. 잘해주는 게 부담스러웠다고 하니까. 사랑받을 자격이 없는 사람이네요. 그런 사람 때문에 아파하고 있지 말아요. 트라우마라는 게 극복되지 않을 것 같으면서도 어느 순간 그 트라우마마저 극복하게 하는 사람이 찾아오더라고요. 그런 사람이라면 한 번 더 믿고 사랑에 빠져볼 만 하잖아요. 세상 사람 모두가 내 편이 될 수는 없으니까 내 편이 아닌 사람 하나 떠나보냈다고 생각해봐요.

첫사랑은 정말 이루어질 수 없는 걸까요?

첫사랑이라는 게 사람마다 기준이 다른 거 같아요. 어떤 사람은 가장 먼저 사랑이라는 감정을 느끼게 해준 사람을, 어떤 사람은 가장 많이 사랑했던 사람을 첫사랑이라고 해요. 저는 후자에 가까워요. 여태껏 느꼈던 사랑보다 더 큰 사랑이 있다면 그걸 느끼게 해준 사람이 첫사랑이라 생각해요. 그래서 저는 이루어질 수 있다고 생각해요. 물론 제 첫사랑의 기준을 떠나서도 모든 첫사랑은 이루어질 수 있다고 생각해요. 다만 보는 상황이 낯설고 서툴러서 어렵게 느껴질 뿐이지요. 혹여나 이루어지지 않는다고 한들 첫사랑은 언제 들어도 설레는 말이잖아요. 사람이 기억되는 게 아니라 그때가 기억되는 소중한 시간일 거예요.

혼자 하는 연애에 대해 충고해 주신다면?(ex. 짝사랑)

무슨 충고를 해도 들리지 않을 거예요. 시간이 지나면 아픈 추억으로 남을 테고. 그런데 그 아픈 추억도 시간이 지나면 소중한 추억이 돼요. 누군가를 사랑한 기억이 인생을 살아가는 데 정말 큰 힘이 되어줄 거예요. 어차피 이루어지지 않을 사랑이라는 거 알더라도, 하고 싶은 대로 전부 다 해보았으면 좋겠어요. 표현이든 뭐든요. 아무리 혼자 하는 연애도 사랑은 사랑이니까요.

좋은 연애는 뭘까요? 좋은 연애의 의미를 아무리 생각해도 알 수 없어요.

평범한 연애, 다툼이 있어도 문제를 해결하려고 하는 연애, 사소한 것까지 서로를 배려해줄 수 있는 연애가 좋은 연애가 아닐까 싶어요. 그렇다고 해서 편하다고 다 좋은 건 아니니까 서로를 믿어줘야 할 때는 한 걸음 물러서서 믿어주는 게 좋은 연애라고 생각해요.

아직도 모르겠어요. 먼저 연락을 하면 정말 빠른 답장이 와서 언제나 그 답장이 기다려지는데, 그렇다고 자주 연락이 오는 것도 아니에요. '마음을 닫아야지.' 하면 또 말을 걸어오는 그 사람 때문에 헷갈려요. 시도 때도 없이 장난을 걸어오는 그 사람이 정말 좋은데 헷갈리는 마음뿐이네요.

연락을 어떻게 하냐를 떠나서 확신을 주지 못하는 사람이라면 저는 아니라고 보는 입장이에요. 적어도 상대방을 조금이라도 생각하는 마음이 있으면 상대방을 헷갈리게 하면 안 된다고 생각하기 때문에 그래요. 연락과 관심은 비례한다는 말이 있는데, 분명 틀린 말은 아니라고 생각해요. 상대방을 헷갈리게 하는 사람이라면, 확신을 주지 못하는 사람이라면, 그런 사람을 곁에 둔다고 한들 늘 같은 이유로 실망하고 혼자 아파하게 될 것 같아요.

헤어지게 된 지 얼마 지나지도 않았는데 이미 그 사람 곁에는 새로운 인연이 생겼어요. 어떻게 그럴 수가 있죠? 저를 정말 사랑하긴 했던 걸까요?

이별은 이별일 뿐이에요. 그래서 저는 그럴 수 있다고 생각해요. 먹는 데 20분이 걸린 밥도 8시간이 지나야 소화가 되는데 몇 개월 만난 사람을 어떻게 하루 이틀 만에 잊을 수 있냐는 이야기도 있더라고요. 하지만 저는 개개인의 차이라고 생각해요. 소화가 잘 되는 사람이 있고, 소화가 잘 안 되는 사람이 있는 것처럼 말이에요. 그냥 그 사람은 사람을 잊는 게 쉬운 사람이었다고 생각해요. 소화가 잘 되는 사람처럼 말이죠. 그리고 이별을 고했을 때는 이미 상대방에 대한 사랑이 사라져갈 때쯤이었을 테니까, 마음은 남아 있어도 사랑은 남아 있지 않았을 테니 말이에요.

언젠가는 헤어지는데, 언젠가는 이 순간들을 후회할지도 모르는데, 모두에게 비밀로 하면서까지 이 연애를 하는 의미가 있는 걸까요?

연애는 둘이서 하는 거잖아요. 굳이 비밀로 할 필요는 없지만, 굳이 알려야 할 필요도 없는 거라고 생각해요. 둘만의 세상에 제삼자는 필요 없으니 말이에요. 연애에서 의미는 남에게 보여주는 데 있는 게 아니라 둘만 행복할 수 있다면 어떤 것도 필요 없다고 생각해요. 그런 것에 꼭 의미를 부여하는 연애가 아니길 바랄게요. 언젠가 헤어지더라도 소중한 추억으로 남아 있을 수 있으니까요.

왜 항상 헤어짐이라는 말에 모든 걸 정리하려는 걸까요?

헤어지자고 하는 쪽은 이미 마음 정리가 되어 있으니까 헤어짐이라는 말에 모든 게 정리되는 거겠죠. 상대방이 어떻든 이미 내 마음은 떠나버렸으니까, 이미 헤어짐이라는 말에 모든 게 정리가 될 만큼 정리가 끝난 상태일 테니까요.

연애하는 이유가 뭘까요?

연애하는 데 이유가 필요할까요. 그냥 좋으니까 하는 거잖아요. 딱히 특별한 이유가 없어도 함께 있는 게 좋다는 것만으로도 충분한 이유가 되지 않을까요? 내가 좋아하는 사람에게 사랑을 줄 수 있고 내가 좋아하는 사람에게 사랑받을 수 있다면 그것만큼 큰 행복은 없을 거예요. 행복을 싫어하는 사람은 없으니까. 누구나 행복해지고 싶어 하니까. 그 행복을 찾는 가장 간단하면서도 복잡한 방법이 연애라고 생각해요.

보고 싶은 사람을 다시는 못 볼 때는 어떻게 해야 하나요?

저는 보고 싶은 사람인데 볼 수 없을 땐 편지를 쓰는 습관이 있어요. 언젠가 다시 만날 날을 위해서가 아니라 지금 당장 보고 싶은 마음을 조금이나마 위로하기 위해서요. 볼 수 없는 사람을 보고 싶어 하는 건 욕심이니까. 내 욕심 때문에 그 사람을 힘들게 하고 싶지는 않으니까요. 혹시 기적이 일어나서 그 사람을 다시 한 번 보게 되는 날이 오기 전까지는 참아요. 분명 참을 수 없을 때도 있었어요. 그럴 땐 그냥 무작정 마음 가는 대로 해봐요. 저도 그랬으니까요. 하지만 항상 후폭풍은 본인이 감당해야 한다는 거 잊지 마세요. 그게 더 아프다는 것도요.

헤어지고 다시 만나는 연인들에 대해 긍정적인 의견과 부정적인 의견, 그리고 개인적으로 조언해주고 싶은 방향에 대해 궁금해요.

저는 헤어지고 다시 만나는 것에 대해서 부정적으로 생각하는 사람이에요. 그래서 긍정적인 이야기를 하기는 어려울 거 같아요. 무작정 안 된다, 안 좋다가 아니라 최대한 그러지 않았으면 해요. 분명 저도 사람인지라 헤어지고도 사랑이 남아 있는 사람이라면 다시 시작해보고 싶을 거예요. 하지만 참으려고 해요. 분명 또 같은 이유로 우리에게 이별이 찾아올 테니까. 그게 아니라면 더 아픈 이유가 생겨버릴 테니까요. 사랑하면 애초에 헤어지자는 말을 꺼내지를 말았어야지, 아무리 힘들어도 참고 견뎌냈어야죠. 제가 서로를 위해 참고 견뎌낼 수 있는 것들이 많아지는 게 사랑이라고 생각하는 사람이라서 그런가 봐요.

언제쯤 진짜로 제가 먼저 좋아하는 사람이 생길까요?

누군가를 먼저 사랑하는 게 서툰 사람일 수도 있죠. 너무 사랑스러운 사람이라서 누구든 본인에게 사랑을 주기만 하니까 먼저 사랑을 주는 방법에 서툰 사람일 수도 있죠. 사람 마음이라는 게 마음대로 되는 게 아니니까 언제쯤 누구를 먼저 좋아할 수 있다, 없다는 대답 못 드려요. 누가 먼저 마음을 주는 게 뭐가 중요한가요. 어느 한쪽이든 먼저 마음을 줘야 하니까, 내게 마음을 준 사람을 내가 좋아하게 된다면 얼마나 큰 행복이에요.

큰 걸 바라지 않겠다 다짐해놓고 더 많은 걸 원하게 돼요.

더 큰 걸 바랐으면 좋겠어요. 더 많은 걸 원했으면 좋겠어요. 그 사람을 힘들게 만들지만 않는다면요. 사랑은 사소한 것에서 시작되어 그게 쌓이고 쌓여서 커지는 거예요. 이미 커질 대로 커져버린 마음은 처음 받았던 사랑으로는 채워지지 않아요. 대신 받은 만큼 돌려주는 것을 잊지 마세요.

항상 한쪽에 남아 있는 사람이 있는 것 같아요. 다른 사람을 만나도 100% 집중할 수 없게 하는.

누구를 사랑하든 가끔은 생각나는 사람이 있을 수 있고, 가끔은 지금 내 곁에 있는 사람이 미워질 때도 있을 거예요. 그렇다고 내 옆에 있는 사람이 마음속에 없는 게 아니잖아요. 지난 인연은 마음속에 있는 게 아니고 추억 속에 있는 거고, 내 곁에 있는 사람은 내 마음속에 있는 거니까요. 모든 순간을 집중할 수 없다고 해도 그거 하나면 충분해요.

연애할 때 나이는 숫자에 불과하다고 하는데 맞을까요?

당연하죠. 나이는 숫자에 불과해요. 분명 또래와 연애를 하는 것과 나이 차이가 많이 나는 사람과 연애를 하는 것에는 큰 차이가 있을 거예요. 주변에서 안 좋게 보는 시선도 있을 거고요. 그런데 그게 뭐 어때서요? 연애는 둘이서 하는 거잖아요. 타인의 시선이 두려워서 지금 내 곁에 있는 사람을 포기한다면 그건 사랑이 아니에요. 정말 예쁜 사랑을 할 수 있다면 그걸로 된 거라고 생각해요.

책임감이 사랑과 연애에 어느 정도 연관되어 있다고 생각하나요?

당연히 관련이 많을 수밖에 없죠. 그런데 이 많은 것들을 뭐라고 설명하기가 참 어렵네요. 사랑하는 사이라면 서로가 서로에게 가장 큰 책임감을 갖고 있어야 하는 사이예요. 서로를 믿는 믿음 하나로 여기까지 온 사람들이니까요. 그런데 한 가지 명심할 건 연락은 책임감이라는 명목으로 하면 안 되는 거예요. 많은 연인들이 이 사소한 연락이라는 문제 때문에 다투게 되더라고요. 연락은 책임감 때문에 하는 게 아니라 마음이 나서 시간을 만들어서라도 해야 하는 거예요.

몇 번을 만나고 헤어지고 했는데 미련이 남아요. 잡아야 하나요?

좋은 사람은 아니라도 좋아하는 사람이니까 미련을 갖게 되는 거겠죠. 몇 번을 헤어졌어도 몇 번이라도 그 아픈 시간을 견딜 수 있을 만큼 좋아하는 사람이니까, 사랑하는 사람이니까 그렇게 되는 거예요. 미련을 충족시킬 수 있을 때 미련 없이 사랑하세요.

연애를 전제로 상대방을 알아갈 때 제일 중요한 3가지가 있다면 무엇인가요?

1. 가치관.

2. 그 사람의 주변인을 봐요. 유명한 말이 있잖아요. '그 사람의 친구를 보면 그 사람이 어떤 사람인지 알 수 있다.'

3. 중요시하는 건 아닌데, 알 수 있다면 전 연인에 대해 알아보는 편이에요. 물론 상대방 기분이 나쁠 것 같다면 그러지 않지만요. 이 사람이 전 연인과 어떤 사랑을 했고, 어떤 아픔이 있는 사람인지 알고 싶거든요. 그래야 아프지 않게, 더 사랑해줄 수 있으니까요.

사랑에 타이밍이란 없는 것 같아요. 모든 일에, 모든 것에 그럴 만한 타이밍이란 없어요. 그저 그럴 운명이었던 거예요. 무언가를 느끼고 "타이밍 잘 맞췄다." 호탕하게 말하는 순간까지도 그렇게 될 운명이었던 거예요.

운명에 사랑을 전부 맡기지 않았으면 좋겠어요. 분명 그렇게 될 운명이라는 것도 존재하고, 타이밍도 존재해요. 운명을 믿어야 할 때는 운명을 믿어야 하고 타이밍을 잘 맞춰야 할 때는 잘 맞춰봐야 하는 거예요. 가끔은 운명에 모든 걸 걸어야 할 때도 있고, 타이밍에 모든 걸 걸어야 할 때도 있어요. 그러니 운명이라는 핑계로 놓쳐버린 타이밍을 덮으려 하지 마세요. 사랑에는 운명이든, 타이밍이든 뭐든지 필요해요.

순수하게 그 사람을 좋아한다는 건 뭘까요?

행복할 때도 있고 슬플 때도 있는 거요. 다툼과 헤어짐을 연관 짓지 않는 것. 다투더라도 서로에 대한 마음은 변하지 않는 게 순수하게 좋아한다는 거 아닐까요. 그리고 '순수하게 그 사람을 좋아하는 게 뭘까.' 생각하는 그 자체가 순수하게 그 사람을 좋아한다는 거 아닐까요. 사랑에서 나오는 순수함이 만들어낸 질문이라고 생각해요.

짝사랑을 하는데 타이밍과 자존감이 도와주질 않아요.

짝사랑은 타이밍만으로 이뤄지기는 어려워요. 물론 자존감도 있어야 하고, 무엇보다 용기가 있어야 할 거 같아요. 자기를 사랑하는 것에도 서툰데 누군가를 사랑하는 덴 더 서툴 테니까 자기 자신부터 사랑하는 연습을 하세요. 그 사랑 그대로 사랑하는 사람에게 전해줄 수 있는 용기까지 키워야죠. 내 곁에 두고 싶은 사람이 있다면 내가 변해야죠. 내가 용기 내야죠.

언제 헤어져야 하는 걸까요. 이게 헤어져야 하는 상황인지 아닌지 잘 모를 땐 어떻게 해야 하나요?

그런 생각을 하고 있다는 게 이미 헤어질 생각을 하고 있는 거 같아요. 헤어짐을 기다리는 것보다는 차라리 헤어질 준비를 하는 게 좋을 거 같아요. 너무 극단적이라고 할 수도 있어요. 그만큼 헤어짐이라는 단어는 쉽게 상상조차 해서는 안 되는 단어예요. 어차피 마음 가는 대로 하게 되겠지만요. 정말 헤어질 게 아니라면 그런 생각은 하지 않았으면 좋겠어요. 그냥 마음 가는 대로 했으면 좋겠어요.

연애를 안 할 때는 연애를 하고 싶은데, 막상 하면 연애보다 중요한 것에 신경을 더 많이 쓰게 되는 것 같아요.

서로 다른 점은 이해해줄 수 있고, 가치관이 비슷한 사람을 만나면 좋겠네요. 그게 아니더라도 한 번쯤은 더 큰 것을 위해 다른 일은 잠시 접어뒀으면 좋겠어요. 분명 지금 내게 연애보다 더 중요하고 가치 있는 일이 있을 수 있지만 그래도 사랑하는 사람이 곁에 있다면 얼마나 좋겠어요. 얼마나 큰 힘이 되겠어요. 내 곁에 마음이 통하는 친구 하나만 있어도 살아지는데, 사랑하는 사람이 곁에 있으면 오죽하겠어요.

사랑 없는 삶은 결국엔 불행일까요?

사랑에서 행복을 찾는 건 개인의 몫이라고 생각해요. 그래서 단정 지어 말할 수는 없는 것 같아요. 사람마다 삶에서 사랑이 차지하는 크기가 다르니까요. 다만 이거 하나는 확실해요. 사랑이 있다면 사랑이 행복일 수도 있고, 불행으로 돌아올 수도 있어요. 겪어보기 전까지는 모른다는 뜻이에요. 그리고 사랑 없는 삶은 불행이 아니라 건강하지 못한 삶이라는 표현이 더 어울릴 거 같네요.

연애하고 있는 상대방을 좋아하지도 싫어하지도 않게 된 것 같아요. 어떻게 해야 할까요?

확실해질 때까지 선부르게 판단하지 않았으면 좋겠어요. 그냥 쉽게 권태기라고 표현하는 게 가장 옳은 표현인 거 같아요. 연인 사이에서 누구나, 언젠가 한 번쯤은 겪게 되는 시기잖아요. 권태기가 왔다고 해서 전부 헤어지는 것은 아니에요. 그러니 이 시기를 잘 이겨내 봐요. 더 행복한 꽃길이 펼쳐질 수도 있으니까요.

연애를 하면서 남자 친구가 여자 친구한테 하는 애정 표현이나 관심을 가지는 정도가 연애 초기보다 좀 소홀해지고 줄어드는 건 어쩔 수 없다고 생각하나요?

남자든 여자든 그럴 수 있어요. 시간이 지나면서 애정 표현이나 관심이 줄어드는 건 누구나 그럴 수 있다는 거죠. 하지만 어쩔 수 없는 건 아니라고 봐요.

연인과 함께했던 시간들 중 가장 행복했던 시간으로 돌아갈 수 있다면 어떤 순간으로 돌아가고 싶나요?

어떤 순간으로라도 돌아가고 싶어요. 함께했던 순간에는 어느 순간에라도 그 사람은 내 사람이었을 테니까. 내 곁에 있던 시간이었을 테니까요. 그 사람과 가장 행복했던 시간은 언제라고 말할 것도 없이 '우리'라고 부를 수 있던 모든 시간일 테니까요. 돌아갈 수만 있다면 언제가 되어도 좋겠어요. 설령 그게 우리가 헤어졌던 그날이 되어도 다시 한 번 그 사람을 볼 수 있음에 감사할 수 있을 거 같아요.

행복한 연애의 기준을 뭐라고 생각하세요?

서로에 대한 믿음이 행복한 연애를 할 수 있는 기준인 거 같아요. 모든 순간을 함께할 수는 없지만 모든 순간 서로를 믿어줄 수 있는 믿음이 있다면 말이에요. 무작정 강요하는 믿음이 아니라 서로의 행동을 통해서 생긴 믿음이라면 더할 나위 없이 행복한 연애가 될 거예요.

늘 짧은 연애만 해왔어요. 상대가 날 좋아하면 내가 금방 식고, 내가 상대를 너무 좋아하면 상대가 그렇지 않고요. 이번에는 정말 오래 사귀고 싶은데 어떻게 하면 될까요?

어떻게 하려고 하지 마세요. 오래 만날 연인들은 어떻게 해서든 오래 만나게 되더라고요. 무슨 일이 있어도 헤어지지 않을 연인이라면 헤어지지 않을 거라는 말이에요. 끝을 생각하기보다는 현재를 생각하는 연애를 해보세요. 당연히 헤어질 거니까 적당히 표현하고 적당히 사랑에 빠지는 게 아니라 이 사람이 아니면 안 될 것처럼 지금 내 곁에 있는 그 사람에게 모든 애정을 쏟아보세요.

다가오지도 않은 이별이 무서워서 정주는 게 두려워요.

이별은 그럴 때 더 빨리 찾아오는 거예요. 다가오지도 않은 이별이 두려워서 정을 주지도, 사랑을 주지도 못하는데 어떤 사람이 그 아픈 시간을 오랫동안 견뎌낼 수 있을까요? 그건 이별을 자초하고 있는 거예요. 사랑하는 사람과의 이별이 아무렇지 않은 사람은 없고, 이별하고 싶은 사람 또한 없어요. 두려움이라는 게 쉽게 극복이 되는 감정은 아니겠지만 그래도 해야 해요. 그 사람이 좋은 만큼, 그 사람을 사랑하는 만큼.

동그라미
누군가의 아픔을 글로 표현하는 것을 좋아하고
그 아픔을 또다시 글로 위로해주는 것을 좋아하는 사람이다.
평범한 문장을 써 내려가도 누군가에게 힘이 되어줄 수 있다면
그것만으로도 만족하는 삶을 살고 있다.

사진 김영수
@rose_emotion

디자인 권으뜸
@eureumi

너에게 난

초판 1쇄 발행 2018년 5월 2일
초판 2쇄 발행 2018년 5월 25일

지은이 동그라미

발행인 장상진
발행처 (주)경향비피
등록번호 제2012-000228호
등록일자 2012년 7월 2일

주소 서울시 영등포구 양평동 2가 37-1번지 동아프라임밸리 507-508호
전화 1644-5613 | **팩스** 02) 304-5613

ISBN 978-89-6952-240-5 04810
978-89-6952-242-9(SET)

· 값은 표지에 있습니다.
· 파본은 구입하신 서점에서 바꿔드립니다.